Tres en un globo

Tres en un globo

Sarah Wilson

SCHOLASTIC INC.
New York Toronto London Auckland Sydney

Three in a Balloon/Tres en un globo

Copyright © 1990 by Sarah Wilson.
Spanish translation copyright © 1993 by Scholastic Inc.
All rights reserved. Published by Scholastic Inc.
Printed in the U.S.A.
ISBN 0-590-46838-3

7 8 9 10   08   00

Para Herb, con cariño

Reconocimiento
Muchas gracias a Marion Buckner y Ray Wagner
del San Diego Aerospace Museum Library.

Prefacio

Este libro se basa en la historia de los primeros pasajeros que viajaron por el aire. El 19 de septiembre de 1783, una oveja, un pato y un gallo volaron en un globo de aire caliente inventado por los hermanos Montgolfier en Fracia.

¿Qué harías
si tú fueras
una oveja
o un gallo
o un pato

y a tus amigos les gustara jugar
de manera diferente
con pelotas
y burbujas
y plumas
y vapor?

¿Qué harías
si hicieran juguetes grandes
con canastos de paja

y te metieran dentro
en un día despejado
y de viento,

y con humo
y aire caliente

te lanzaran al cielo?

¿Si te lanzaran al cielo
por encima de los techos
y de los árboles,
te lanzaran al cielo
por encima de las fincas
y los campos

mientras las vacas
estiraban las cabezas
y los venados
salían saltando

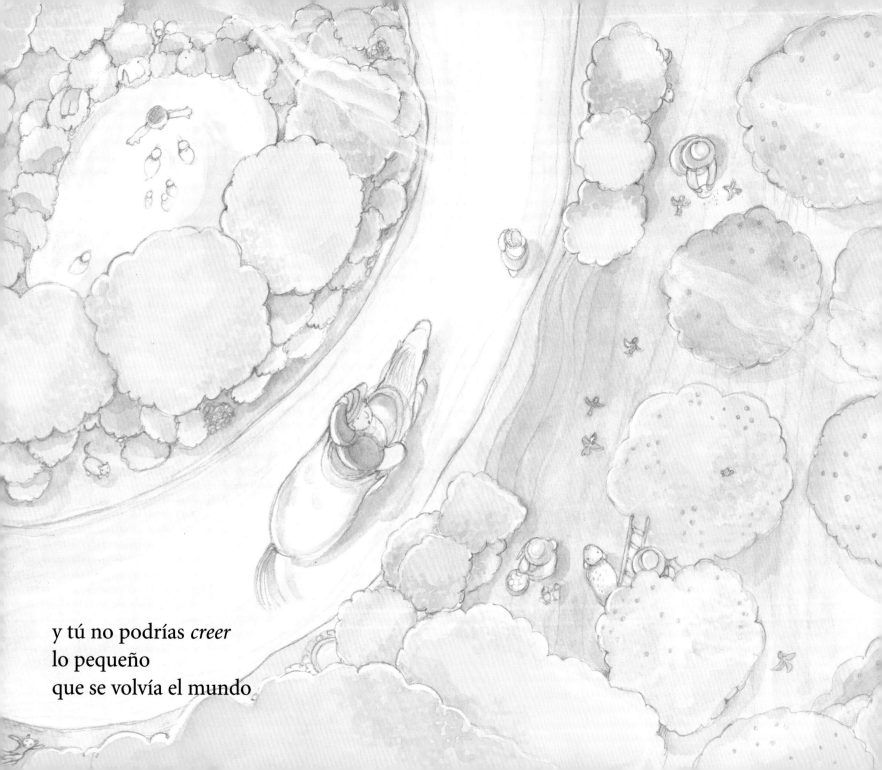

y tú no podrías *creer*
lo pequeño
que se volvía el mundo

¡que los jardines
y arroyos
y pueblos
parecían de juguete!

y el paisaje de abajo
era tan callado como la nieve?

¿Qué harías
con los pies en el aire
volando por un cielo
tan azul
como el mar,
con el vaivén del viento
en las plumas
y en la piel?

¿Darías gritos
de alegría:
quiquiriquí,
bee bee, cua cua?

¿Y qué harías
si los perritos saltaran
hacia tu burbuja
de sol
y ella despacio
descendiera
sobre bosques
y colinas

como una gran
colcha bordada
tendida sobre
los árboles?

¿Suspirarías
por el cielo?
¿Cantarías?
¿Llorarías?

¿Qué encontrarías
en las ramas de un árbol
mientras tu canasto
bajaba al suelo

y aterrizabas
así
con un ay
y con un uy

y fueras mecido
y arrullado
y abrazado por tus amigos?

¿Te repondría
un besito en la nariz?

¿Y qué harías
si te llevaran
a vivir
en los campos
de un rey

y él te abrazara
con un buenas noches
cuando el día oscurece
y te dejara descansar
en una cama blanda
de ricas plumas?

¿Pensarías
que pasó realmente?
¿Creerías
que fue
verdad?
¿Creerías
que esta aventura
te sucedió a TI?

Después, con el parpadeo
de las estrellas
allá arriba
y el ulular del búho
y el arrullo de una paloma,
¿te gustaría cerrar
los ojos
y pensar
con alegría
en todo lo que viste
en este sueño
de un día,
cuando la tierra
parecía tan pequeña
y tú eras tan grande

en un canasto de paja
en la paz
del cielo azul?